LE PETIT GUIDE DU
TRAVAIL
EN ÉQUIPE
gagnant

Catalogage avant publication de la Bibliothèque nationale du Canada

Jacques, Josée, 1967-

    Le petit guide du travail en équipe gagnant

    ISBN 2-89035-383-4

1. Enseignement – Travail en équipe. 2. Groupes, Dynamique des.
3. Résolution de problème. I. Jacques, Pierre, 1956- . II. Titre.

LB 1032.J32 2004   371.3'6   C2004-940762-7

Les Éditions Saint-Martin bénéficient de l'aide de la SODEC pour l'ensemble de leur programme de publication et de promotion.

Canadä

Les Éditions Saint-Martin sont reconnaissantes de l'aide financière qu'elles reçoivent du gouvernement du Canada qui, par l'entremise de son Programme d'aide au développement de l'industrie de l'édition, soutient l'ensemble de ses activités d'édition.

Édition : Vivianne Moreau
Illustrations : Stéphane Elie

Dépot légal : Bibliothèque nationale du Québec, 3ᵉ trimestre 2004
Imprimé au Québec (Canada)

©2004 Éditions Saint-Martin inc.
1ʳᵉ réimpression, 1ᵉʳ trimestre 2007
2ᵉ réimpression: 2ᵉ trimestre 2008

Éditions Saint-Martin inc.
Filiale du réseau Coopsco
7333, place Des Roseraies, bureau 501
Anjou, québec
H1M 2X6
st-martin@qc.aira.com
www.editions-saintmartin.com

Josée Jacques
Pierre Jacques

LE PETIT GUIDE DU
TRAVAIL
EN ÉQUIPE
gagnant

ÉDITIONS
SAINT-MARTIN

À Thierry, Raphaël et Laura
Puissiez-vous vivre les plaisirs de la solidarité!

Table des matières

Vous arrivez en classe et vous prenez connaissance du plan de cours. Horreur, vous constatez qu'un travail d'équipe doit être réalisé pendant la session. De cauchemardesques souvenirs vous reviennent à l'esprit. La perspective des rencontres interminables vous fait frissonner. La hantise des incompréhensions, des conflits, des éternels absents, de la qualité insatisfaisante du travail réalisé par un coéquipier peu motivé vous habite à nouveau. Naturellement, il n'est pas facile de travailler en équipe. Or, il est possible d'apprendre à travailler en coopération d'une manière efficace et agréable.

I. Autoévaluation

Connaissez-vous les avantages d'un travail en équipe ? Pour connaître vos perceptions, complétez le questionnaire à la page suivante en indiquant si, selon vous, ces énoncés sont vrais ou faux.

Pour chaque question où vous avez répondu « vrai », cela indique que vous entretenez des préjugés à l'égard du travail en équipe. Ce livre vous permettra de découvrir que ces pensées sont souvent irrationnelles et qu'elles peuvent être modifiées par une expérience positive d'un travail de coopération.

Autoévaluation

V ☐   F ☐   Le travail en équipe est une perte de temps.

V ☐   F ☐   Le partage des tâches n'est jamais équitable.

V ☐   F ☐   Les rencontres en équipe ne sont jamais aussi productives que souhaitées.

V ☐   F ☐   Il existe une équipe idéale.

V ☐   F ☐   Rares sont les membres d'une équipe qui partagent le même niveau de motivation.

V ☐   F ☐   C'est plus facile de travailler seul.

V ☐   F ☐   Il y a toujours un parasite dans chaque équipe.

V ☐   F ☐   L'équipe idéale se compose majoritairement d'amis.

V ☐   F ☐   Le concept de coopération est une utopie.

V ☐   F ☐   Il est toujours difficile de se réunir en groupe.

V ☐   F ☐   Il y a toujours un membre de l'équipe qui disparaît.

V ☐   F ☐   Le travail de coopération plaît seulement aux plus paresseux.

2. Les avantages

Le travail en équipe présente plusieurs avantages :

- – Il est stimulant et motivant lorsque tous les participants sont impliqués.

- – Il permet d'aborder plus de facettes en moins de temps si tous les membres sont efficaces.

- – Il favorise l'émergence d'idées empreintes de la personnalité et de l'originalité de chacun.

- – Le résultat d'un travail en équipe peut donc être plus complet et créatif qu'un travail réalisé seul.

Ce livre vous offre des outils et des conseils qui vous aideront à apprécier et peut-être même à rechercher le travail en équipe. La démarche proposée s'applique à un travail de longue durée, mais elle peut aussi être utilisée dans le cadre d'un travail plus court. Il suffira de combiner certaines étapes. Les explications sont orientées principalement autour de la réalisation d'un travail écrit. Cependant, il est possible d'utiliser la même démarche pour d'autres types de travaux réalisés en équipe. On pense notamment à la réalisation d'un film, d'un exposé oral, d'un programme informatique, d'un projet de fin d'études, etc.

3. Faites travailler votre prof !

Ce livre s'adresse aux étudiants ainsi qu'aux professeurs. La démarche que nous proposons fait souvent appel à l'implication et à la responsabilité de l'étudiant. Cependant, cela n'exclut pas la responsabilité du professeur dans la réussite du travail en équipe.

Illustration: Stéphane Elie

À chaque étape, le professeur a son rôle à jouer. Il peut créer des conditions propices à la coopération, guider, mettre des balises, arbitrer des conflits et même prendre les rênes! Vous pouvez par exemple lui demander de soutenir une intervention, de valider une démarche, de suggérer des ressources, etc. En fait, le professeur fait aussi partie de l'équipe!

À retenir...

- Le travail en équipe peut devenir une expérience agréable.

- Le travail en équipe s'apprend. Vous devez procéder par étapes.

- Le travail en équipe fait appel à l'implication et à la responsabilité de chaque participant, y compris le professeur.

Les étapes du travail en équipe

Le travail en équipe, ou travail de coopération, commence avant même la formation de l'équipe et se poursuit quelque temps après la remise du produit final. Ainsi, plusieurs étapes doivent être respectées pour faire du travail en équipe une expérience couronnée de succès. Regardons chacune de ces étapes.

I. FORMER UNE ÉQUIPE

La formation d'une équipe est un moment déterminant. Nous aspirons tous à former l'équipe idéale où les participants sont des amis qui se montrent chaleureux les uns envers les autres, sont tous très motivés, veulent s'impliquer pleinement, disposent d'une grande disponibilité et accordent la priorité au travail de coopération dans leur agenda... Cette vision de l'équipe idéale est une utopie. D'emblée, l'équipe idéale n'existe pas. Mais, heureusement, il est possible de s'en approcher.

Dans un premier temps, il faudrait éviter de procéder à la sélection de partenaires pour un travail de longue haleine avant la troisième séance de cours. On évite ainsi le choix à l'aveuglette ou le jumelage quasi forcé avec des étudiants assis à proximité.

1.1   FAITES LES PREMIERS PAS!

Lorsque vous constatez dans un plan de cours qu'un travail en équipe est exigé, votre premier réflexe devrait être d'entrer en contact avec les autres étudiants. Abordez vos collègues de classe pendant la pause et parlez de la pluie et du beau temps, de vos vacances, de vos cours, des professeurs! Si vous voyez deux ou trois personnes du groupe en train de discuter, joignez-vous à eux. Ajoutez votre grain de sel. Mine de rien, au fil des conversations, même anodines, vous recueillez des indices sur les intérêts et la personnalité de partenaires potentiels. Vous leur donnez aussi des indices sur vous-même.

Pour des relations qui se développent dans le cadre d'un travail en équipe, le facteur clé à rechercher est la similarité des intérêts et de la motivation. La complémentarité de vos connaissances et de vos habiletés interviendra plus tard. Mais, attention! Il ne s'agit pas de rechercher la similarité au niveau du style vestimentaire, des idées politiques ou des préférences musicales. Bien que cela puisse vous renseigner sur certains aspects de la personnalité de l'autre, ces dimensions ne devraient pas faire partie de vos premiers critères pour sélectionner un bon partenaire. Si vous possédez déjà cette capacité de vous affirmer face aux autres, vous serez à l'aise

pour prendre les devants. Au cours des deux pre-
mières semaines de cours, tentez de connaître les
intérêts et la motivation de plusieurs personnes
dans la classe. Dès que vous sentez une certaine
similarité d'intérêt et de motivation avec quelqu'un,
demandez-lui s'il veut travailler avec vous. Ainsi,
vous formez une équipe en vous basant sur vos res-
semblances (votre intérêt pour la matière et votre
niveau de motivation pour le cours), mais vous serez
efficaces à cause des complémentarités.

Mise en situation

Voilà le moment de la pause arrivé. Nadège, plutôt timide
de nature, veut en profiter pour faire de nouvelles connaissances. En effet, elle doit réaliser un travail d'équipe et elle
ne connaît personne dans sa classe. Elle sent les batte-
ments de son cœur qui accélèrent et ses mains qui devien-
nent moites. Un garçon s'approche d'elle.

Marc : Salut ! Un autre travail d'équipe à réaliser. Ça
semble être la mode ces temps-ci.

Nadège : Oui. Je déteste ça. J'ai tout le temps l'impression
de faire le travail toute seule, puis de partager ma note !

Quelques étudiants, regroupés non loin d'eux, entendent
la remarque de Nadège et s'intègrent à la conversation.

Pierre : Parfait, je veux que tu sois dans mon équipe ! dit-
il en blaguant.

(suite à la page suivante)

Nadège sourit. «C'est bien le dernier avec qui je voudrais travailler», pense-t-elle. Marc lui jette un regard complice.

Marc: Heureusement, il nous reste deux semaines pour former notre équipe.

Pierre: Je vous laisse. Je dois téléphoner à mon boss. Je ne suis pas allé travailler hier et il faut que je me trouve une excuse. Avez-vous des idées? demande-t-il en rigolant.

Marc: Tu veux rire! T'es pas rentré à ton travail pis t'as pas avisé?

Pierre: Vous savez ce que c'est quand le party est pris…

Nadège, Marc et les autres étudiants lui sourient. Décidément, ils n'ont pas tellement envie de travailler avec Pierre.

Le cours recommence. Nadège est contente. Pourquoi s'en fait-elle toujours avec des riens? Ça semblait si facile pour Marc d'amorcer la conversation…

1.2   SACHEZ DIRE NON!

Si vous ne percevez pas cette similarité d'intérêt et de motivation de la part de la personne qui vous invite à travailler avec elle, il est préférable de décliner l'invitation. Cela vous évitera les ajustements nécessaires au début du travail lorsque le niveau d'implication des membres n'est pas le même. Ces ajustements ne sont pas insurmontables, mais si vous pouvez les éviter, faites-le!

Cependant, à moins que vous ne voyiez se poindre à l'horizon une file de prétendants, dépêchez-vous de prendre les devants à votre tour afin d'éviter… de faire partie de l'équipe de ceux qui n'ont pas d'équipe!

1.3 Le gang des célibataires

Le gang des célibataires correspond à l'équipe de ceux qui n'ont pas d'équipe. Comme cela arrive pratiquement toujours, un certain nombre d'étudiants se retrouvent dans une situation de cohabitation forcée. Bien que ce ne soit pas l'équipe idéale (de toute façon, elle n'existe pas!), il est tout de même possible de mettre en place les conditions propices à un travail de coopération fructueux. En effet, quelle que soit la façon dont l'équipe a été formée, il faudra que vous discutiez du contrat et des conditions dans lesquelles s'accompliront les tâches.

1.4 Le nombre de coéquipiers

Lorsque les membres d'une équipe doivent se rencontrer à plusieurs reprises sur une longue période, le nombre de participants ne devrait pas excéder cinq personnes. Un nombre plus élevé rend la coordination du travail complexe, particulièrement dans le cadre d'un apprentissage du travail en coopération.

Lorsque c'est possible, il vaut mieux privilégier un nombre impair de membres au sein de l'équipe. De cette façon, lorsque les décisions doivent être prises à la majorité, l'équipe ne sera pas paralysée par un vote moitié-moitié.

À retenir...

- Pour un travail de longue durée, ne formez pas d'équipe définitive avant le troisième cours.

- Faites les premiers pas et parlez aux autres.

- Évaluez leur intérêt et leur motivation.

- Optez pour un nombre impair d'équipiers dans le groupe.

2. LA PREMIÈRE RENCONTRE

Le premier rendez-vous en équipe est important. En effet, lors de cette rencontre, vous mettez en place les conditions garantes du succès de votre coopération. Quatre sujets doivent être abordés lors de cette rencontre : l'échange des coordonnées, le choix du moment des rencontres ultérieures, les rôles de chacun lors des rencontres ainsi que les forces et les faiblesses des participants.

2.1 ÉCHANGEZ VOS COORDONNÉES

Chaque membre de l'équipe doit inscrire les noms et les coordonnées (numéro de téléphone, courriel) de ses coéquipiers. Retranscrivez ces informations dans votre agenda ou dans ce livre plutôt que sur une feuille volante, trop facilement perdue. Les coordonnées peuvent aussi être accompagnées des meilleurs moments pour joindre un coéquipier. Trop souvent, des difficultés surviennent parce que les membres d'une équipe n'ont pas pu communiquer entre eux.

Coordonnées

Nom : _____

Téléphone : _____ Cellulaire : _____

Courriel : _____

Disponibilités : _____

Nom : _____

Téléphone : _____ Cellulaire : _____

Courriel : _____

Disponibilités : _____

Nom : _____

Téléphone : _____ Cellulaire : _____

Courriel : _____

Disponibilités : _____

Nom : _____

Téléphone : _____ Cellulaire : _____

Courriel : _____

Disponibilités : _____

Illustration : Stéphane Elie

2.2   Déterminez un horaire et un lieu pour les rencontres

Le lieu choisi pour les rencontres doit être propice au travail. Les endroits bruyants où vous êtes susceptibles d'être dérangés sont inappropriés. Habituellement, un endroit calme, à proximité des outils de travail (livres, Internet, etc.) est à privilégier. Une salle de travail à la bibliothèque ou un local de classe libre, par exemple, constituent des endroits pratiques, tranquilles et faciles d'accès.

Afin d'être efficaces, vous devez établir quel est le meilleur moment pour vous réunir. Si vous ne réservez pas des moments communs pour discuter en équipe ou partager le travail fait individuellement, la coopération est impossible. Et rien n'est plus nuisible pour la coopération qu'un membre absent ! En effet, vous devez absolument trouver

Première partie. Les étapes du travail en équipe

21

une plage commune à votre horaire qui sera exclusivement réservée à vos rencontres. À l'aide de vos horaires respectifs, déterminez un ou deux moments pendant la semaine où vous pourriez vous rencontrer. Idéalement, vos rencontres devraient toujours se dérouler au même endroit et au même moment de la semaine. Ainsi, une fois les rendez-vous fixés, vous ferez passer au second plan les autres activités qui surviendront! Vos rencontres de groupe seront inscrites à votre agenda personnel et elles seront prioritaires pour chaque membre de l'équipe.

Mise en situation

Nadège: Bon, quand est-ce qu'on se rencontre?

Marc: J'ai pas beaucoup de temps cette semaine.

G2: Moi non plus, je travaille presque tout le temps au magasin.

Marc: Au début de la semaine prochaine, ça serait bon?

Nadège: OK, lundi ou mardi?

Marc: Lundi, je peux de midi à 18h.

Nadège: Moi je peux à partir de 14h. Et toi, G2?

G2: Moi je ne peux pas, je travaille tous les jours après mes cours.

(suite à la page suivante)

Marc: Le soir alors?

G2: Voyons donc! Le soir, t'es pas sérieux, j'arrive trop tard après le travail. De toute manière, j'aurais pas tellement le goût.

Nadège: Ben là, il va falloir trouver un moment…

Marc: J'ai une idée! Pourquoi pas le matin, avant les cours, disons à 6h30?

G2: C'est pas mal tôt. Mais puisqu'il faut bien trouver un moment, j'y serai.

Nadège: Ça marche! Alors on se voit en classe avant le cours, lundi à 6h30!

Des compromis peuvent s'avérer nécessaires. Vous devrez peut-être déplacer ou laisser tomber certaines activités. Le travail en équipe exige de la disponibilité. Lors du choix de vos moments de rencontre, soyez vigilant et assurez-vous que chaque membre de l'équipe est prêt à consacrer un espace-temps prioritaire pour les rencontres d'équipe. Si un membre de l'équipe n'est absolument pas disponible ou semble vouloir se désister à tout prix, une négociation s'impose! Si la négociation échoue, consultez votre professeur. Peut-être pourra-t-il vous aider à définir vos priorités. Si, malgré la priorité accordée à votre travail de coopération, vous ne réussissez pas à trouver un moment hebdomadaire pour vous rencontrer, vous pourriez avoir à modifier la composition de l'équipe.

2.3 ÉTABLISSEZ LES RÔLES DE CHACUN

Afin d'assurer l'efficacité et la productivité de l'équipe, vous devrez dès la première rencontre désigner deux personnes chargées d'assumer les deux rôles clés : le (ou la) responsable de la coordination – le **coordonnateur** – et le (ou la) responsable du cahier de bord – le **scripte**. Ces deux rôles devraient être attribués dès le premier rendez-vous. Ces personnes seront choisies par l'équipe en fonction de leur intérêt et de leur habileté à exercer cette fonction.

Le coordonnateur

Le coordonnateur doit être une personne qui est capable d'interagir avec les autres. Afin de favoriser la participation, il doit demeurer ouvert et à l'écoute des membres de l'équipe. De plus, il doit tenir compte des idées de chacun tout en sachant s'affirmer. Ainsi, devant un débat qui s'éternise, il doit être en mesure de faire la synthèse et de proposer des pistes de solutions. En concertation avec les autres membres de l'équipe, le coordonnateur détermine le fonctionnement des rencontres et les tâches à accomplir. Le coordonnateur, comme son titre l'indique, coordonne les activités et dirige l'équipe en fonction de ses objectifs.

• Le coordonnateur propose un ordre du jour

Pour qu'une rencontre d'équipe soit efficace, il faut déterminer les sujets qui seront abordés ou les tâches qui seront réalisées lors de la séance de travail. Le coordonnateur a la responsabilité de proposer cet ordre du jour, mais il peut être remis en question et modifié si nécessaire. Chacun peut donc proposer des changements. N'oubliez pas que vous pouvez communiquer avec le coordonnateur avant les rencontres afin de lui soumettre vos idées quant aux points à soulever lors de la prochaine réunion. L'ordre du jour ou les modifications peuvent faire l'objet d'un consensus si tous les membres de l'équipe sont spontanément d'accord. Sinon, vous devrez passer au vote avant de débuter le travail. Il est très important d'utiliser d'abord la proposition d'ordre du jour fournie par le coordonnateur afin d'éviter de perdre du temps à discuter des sujets qu'il faudrait aborder lors de la rencontre! Un modèle d'ordre du jour est proposé à la page suivante.

Illustration: Stéphane Elie

Ordre du jour

1.   Adoption de l'ordre du jour.

2.   Bilan du travail effectué par chaque équipier.

3.   Évaluation de la progression du travail par rapport à l'échéancier.

4.   Informations.

5.   Retour formel ou informel sur le fonctionnement et la participation.

6.   Tâches à faire par chacun d'ici la prochaine réunion.

7.   Date de la prochaine réunion.

• Le coordonnateur anime la rencontre

Une fois l'ordre du jour adopté, le rôle du coordonnateur est d'agir comme animateur. Il cède les droits de parole et invite les plus silencieux du groupe à s'exprimer. Le coordonnateur participe aussi aux discussions en s'inscrivant sur la liste des droits de parole. Il doit aussi résumer, de façon périodique, les propos qui ont été tenus afin de faciliter la progression de la discussion et, éventuellement, la prise de décision.

• Le coordonnateur rallie les membres de l'équipe

Le coordonnateur privilégie la prise de décision en consensus. Devant l'impasse, il procède à un vote. La décision prise par un vote majoritaire pose cependant un problème pour la minorité qui a vu son point de vue rejeté. Cette situation est délicate et le coordonnateur doit éviter que des membres se sentent exclus. À chaque fois qu'une décision majoritaire est prise, le coordonnateur doit s'assurer que toute l'équipe se rallie autour de l'idée retenue. Progresser dans une démarche de travail en coopération exige certains compromis. Il ne faut donc pas adopter une attitude triomphaliste si votre propre point de vue est adopté. Parallèlement, si votre idée est rejetée, vous devez faire l'effort de vous rallier au point de vue majoritaire.

- Le coordonnateur veille à la répartition du travail

Avant la fin de la rencontre, le coordonnateur doit s'assurer que les tâches de chacun sont bien définies et réparties de façon égalitaire. Les tâches à accomplir par chaque participant avant la prochaine rencontre doivent être déterminées. Encore une fois, cette répartition des tâches doit faire l'objet d'une discussion et d'une prise de décision (en consensus ou par vote majoritaire).

À retenir...

- Le coordonnateur coordonne les activités, il ne les impose pas.
- Le coordonnateur anime les rencontres.
- Le coordonnateur favorise le consensus.
- Le coordonnateur répartit les tâches.

Le scripte

Le scripte correspond à la mémoire du groupe. Il doit être une personne méticuleuse, organisée, structurée et rigoureuse. En effet, son rôle est capital car il sera chargé de prendre en note tous les éléments clés à retenir lors des discussions de l'équipe. Il prend d'abord en note l'ordre du jour une fois qu'il est adopté. Ensuite, pour chaque point à l'ordre du jour, il résume les propos et indique scrupuleusement les décisions prises. Lorsque les tâches sont réparties, il les note de façon détaillée. Nous vous conseillons d'utiliser un cahier de bord pour bien conserver les écrits liés à chacune des rencontres. Puis, l'ensemble des informations recueillies lors d'une réunion d'équipe fait l'objet d'un compte rendu. Un modèle de compte rendu et des consignes plus spécifiques sont proposés aux pages suivantes.

• Le scripte rédige les comptes rendus

Le scripte fait la synthèse de ce qui a été discuté pour chaque point à l'ordre du jour. Si des propositions formelles sont faites, il les transcrit textuellement, peu importe si elles sont adoptées ou rejetées par l'équipe. Lorsque les membres de l'équipe votent sur une proposition, il note le résultat du vote. Il doit aussi inscrire de façon précise les tâches à effectuer par chacun des membres de l'équipe.

Un compte rendu abrégé peut convenir lorsqu'il s'agit d'un travail d'équipe réalisé en peu de temps, ou lorsque les membres de l'équipe sont très coopératifs et qu'aucune difficulté de fonctionnement n'existe au sein du groupe. Seuls les noms des personnes présentes et absentes, les tâches à réaliser, la date, l'heure et le lieu de la prochaine rencontre figurent dans un compte rendu abrégé.

Compte rendu

Compte rendu de la ___ᵉ réunion, le _____ à ___ h.

Personnes présentes : _____

_____

_____

_____

_____

Personnes absentes : _____

_____

_____

ORDRE DU JOUR

1. _____.

2. _____.

3. _____.

4. _____.

5. _____.

6. _____.

7. _____.

8. _____.

9. _____.

10. _____.

Exemple

Compte rendu de la 4e réunion, le 4 février à 15h.

Personnes présentes :   Éliane Dupuis
Sandro Sertori
Sandy Thompson-Lacroix

Personnes absentes :

ORDRE DU JOUR

1. Adoption de l'ordre du jour.
2. Bilan du travail effectué par chaque équipier.
3. Progression du travail par rapport à l'échéancier.
4. Informations.
5. Retours sur le fonctionnement de l'équipe.
6. Tâches à faire d'ici la prochaine réunion.
7. Date de la prochaine réunion.

1. ADOPTION DE L'ORDRE DU JOUR

L'ordre du jour est adopté sans modifications.

2. BILAN DU TRAVAIL EFFECTUÉ PAR CHAQUE ÉQUIPIER

Sandy Thompson-Lacroix

La recherche en bibliothèque a été effectuée, mais elle n'a pas trouvé de références sur l'adoption internationale.

Sandro Sertori

Toutes les tâches prévues ont été effectuées.

Éliane Dupuis

La travailleuse sociale qu'elle devait rencontrer a reporté le rendez-vous. Afin de ne pas retarder la progression du travail, Éliane a pris l'initiative de réaliser une entrevue avec les amis de ses parents qui ont adopté une petite chinoise il y a cinq ans.

3. PROGRESSION DU TRAVAIL PAR RAPPORT À L'ÉCHÉANCIER

   – Nous donnons des pistes à Sandy afin qu'elle trouve les références qui lui manquent. Nous lui suggérons de poursuivre sa recherche sur Internet.

   – Comme l'entrevue d'Éliane a permis de recueillir beaucoup d'information, il ne sera pas nécessaire de rencontrer la travailleuse sociale. Nous sommes tous d'accord.

4. INFORMATIONS

   – Éliane nous informe que Télé-Québec diffusera un documentaire d'une heure sur l'adoption après demain, soit vendredi à 19 h 30.

5. RETOURS SUR LE FONCTIONNEMENT DE L'ÉQUIPE

   – Chacun remplit la fiche de participation et nous en discutons.

   – L'évaluation est satisfaisante pour tous, mais nous convenons que Sandy devra faire plus d'efforts ou prendre plus d'initiatives dans la réalisation de ses prochaines tâches.

6. Tâches à faire d'ici la prochaine réunion

Tous

- Écouter le documentaire et prendre des notes. Nous en discuterons à la prochaine rencontre.

Éliane Dupuis

- Aller rencontrer le professeur pour vérifier si nous allons dans la bonne direction.

- Rédiger le compte rendu de son entrevue au traitement de texte.

Sandro Sertori

- Trouver des témoignages liés à l'adoption qui ont été publiés dans les quotidiens du Québec.

Sandy Thompson-Lacroix

- Terminer la recherche en bibliothèque.

- Rédiger la bibliographie au traitement de texte.

- Rédiger un brouillon du cadre théorique du travail.

7. Date de la prochaine rencontre

Sandro aimerait que la réunion ait lieu dans deux semaines. Nous discutons. Éliane et Sandy trouvent qu'il est important de continuer à nous rencontrer à toutes les semaines pour respecter notre échéancier. Sandy rappelle le contrat. Dans ce contrat, nous nous étions entendus sur l'importance de tenir des rencontres hebdomadaires.

La rencontre aura donc lieu mercredi prochain le 11 février à 12 h.

- Le scripte conserve les documents

Comme un conservateur de musée, le scripte est le dépositaire des documents utiles à la réalisation du travail. Il peut s'agir de photocopies, de journaux, de cassettes audio et/ou vidéo, de consignes remises par le professeur, etc. Ainsi, le scripte conserve, organise et classe les documents de l'équipe. De cette façon, vous savez toujours à qui vous référer lorsque vous devez remettre ou récupérer un document. Voilà pourquoi cette personne doit être bien organisée et digne de confiance.

À retenir...

- Le scripte note le contenu des discussions.

- Le scripte transcrit les décisions prises avec précision.

- Le scripte conserve, organise et classe tous les documents utiles à la réalisation du travail.

2.4 ÉTABLISSEZ LES CAPACITÉS DE CHACUN

Votre équipe est composée de personnes ayant toutes des aptitudes, des forces et des faiblesses différentes. De même, certaines personnes ont accès à de l'équipement ou à du matériel comme des caméras ou des numériseurs, d'autres sont très forts en français alors que d'autres sont à l'aise avec certains types de logiciels (Word, Photoshop, etc.). Il est important d'établir les atouts de chaque coéquipier lors de la première rencontre puisque cela facilitera ultérieurement la distribution des tâches. Le tableau de la page suivante propose quelques atouts qu'il est important de déterminer au préalable et permet d'indiquer le nom des équipiers qui les possèdent.

3. Choisissez votre sujet

Vous savez à quel moment et à quel endroit vous rencontrerez vos coéquipiers au cours des prochaines semaines. Les principaux rôles ont été distribués. Ainsi, vous êtes maintenant prêt à amorcer le travail de coopération comme tel.

Dans un premier temps, tous les membres de l'équipe doivent saisir la nature et les objectifs du travail de la même façon. Afin d'y parvenir, on peut faire une lecture collective des consignes et déterminer une période de questions pendant laquelle chacun émettra ses perceptions sur la nature du travail. Si des aspects du travail semblent obscurs, le professeur pourra apporter les éclaircissements nécessaires.

Habituellement, la nature du travail est définie par le professeur. Or, le choix de la forme que prendra le travail (ou le sujet dont il traitera) peut être laissé à la discrétion des étudiants ou être imposé. S'il s'agit d'un travail imposé, vous pouvez habituellement commencer rapidement sa réalisation (voir *La deuxième rencontre*, p. 39). Par contre, si vous devez choisir un sujet ou définir certains éléments du travail (moyens pédagogiques pour une présentation orale, personne à interviewer, lieu de tournage pour un film, etc.), vous pouvez avoir recours à quelques séances de remue-méninges (*brainstorming*).

Matériel ou aptitudes

Matériel informatique

☐ Ordinateur   _____

☐ Portable   _____

☐ Imprimante   _____

☐ Imprimante couleur   _____

☐ Numériseur   _____

☐ Internet   _____

☐ Logiciels requis pour   _____
réaliser le travail

Équipement

☐ Caméra   _____

☐ Caméra numérique   _____

☐ Enregistreuse   _____

☐ Lecteur DVD, magné-   _____
toscope

☐ Caméra vidéo   _____

☐ Voiture   _____

Qualités

☐ Très bon français écrit   _____

☐ Bon en dessins   _____

☐ À l'aise à parler devant   _____
les autres

☐ Excellent interviewer   _____

☐ Efficace pour la recher-   _____
che en bibliothèque

(suite à la page suivante)

☐ Efficace pour la recher- _____
  che sur Internet
☐ Bon réseau de contacts _____

☐ _____ _____

☐ _____ _____

☐ _____ _____

3.1 LE REMUE-MÉNINGES

Comme son nom l'indique, le remue-méninges consiste à laisser émerger différentes idées à partir d'un thème donné, plus ou moins spécifique. Il peut se faire seul ou en équipe, mais puisque vous devez réaliser un travail de coopération, regardons comment il doit se pratiquer au sein d'un groupe. Le remue-méninges favorise la créativité et l'innovation et permet de faire émerger des idées sur un sujet afin de prendre une décision réfléchie. Attention! Lorsqu'on parle de créativité, cela touche tous les types de travaux, pas seulement les réalisations artistiques. Les entreprises florissantes, les programmes informatiques innovateurs, les recherches scientifiques qui posent un nouveau regard sur des phénomènes font appel à la créativité pour sortir des cadres habituels et se démarquer.

Règles à suivre

Il est important que tous les membres de l'équipe respectent les règles suivantes si l'on veut que la séance de remue-méninges soit réussie:

- Chacun doit être libre d'exprimer ses idées.

- Aucune idée ne doit être jugée ou critiquée.

- Il est important de garder en tête l'objectif du remue-méninges et de ne pas se laisser distraire.

- On doit émettre le plus grand nombre d'idées possibles, aussi farfelues ou simplistes soient-elles.

Lorsque vous émettez des idées :

- Une seule personne parle à la fois.

- Il est important d'écouter les idées des autres afin de favoriser les associations libres.

- Le coordonnateur accorde le droit de parole, si nécessaire.

- Le scripte prend en note les différentes idées.

Comment ça fonctionne ?

Vous connaissez maintenant les règles et vous êtes prêt à commencer votre remue-méninges... mais comment procéder ?

Si nécessaire, le coordonnateur accorde la parole aux membres du groupe et s'assure que tout le monde participe. À voix haute, chacun exprime les différentes idées qui lui viennent à l'esprit. Ces idées peuvent sembler ridicules, brillantes, ennuyantes, etc. Peu importe ! Le but est de recueillir le plus d'idées possibles. Ici, la quantité est plus importante que la qualité !

Illustration : Stéphane Elie

Il est possible que vous ayez envie d'évaluer immédiatement les idées émises, mais cela nuirait en fait à la créativité. Utilisez plutôt la technique du «piratage d'idées». Il s'agit de prendre une partie de l'idée émise par quelqu'un d'autre et d'y intégrer votre touche personnelle. Ainsi, plutôt que de rejeter une idée, vous la complétez ou vous la modifiez.

Le scripte note fidèlement chacune des idées. Idéalement, ces idées sont inscrites sur un tableau ou un grand carton afin que les membres du groupe puissent s'y référer au besoin. Toutes les idées émises – même celles qui ne sont pas réalistes ou qui risquent fort de ne pas être retenues – doivent être inscrites.

Lorsque le débit des idées ralentit ou parvient à une impasse, le scripte lit les idées émises à voix haute. Vous pouvez alors utiliser la technique du comédien. Il s'agit de vous placer dans la peau d'un personnage réel ou imaginaire et de trouver les idées que cette personne donnerait. Ainsi, essayez d'imaginer quelles seraient les idées d'un dentiste, d'un journaliste, d'une personne âgée, d'un extraterrestre, d'un millionnaire, etc. Cette technique vous permettra de vous éloigner du problème pour mieux y revenir.

Une fois cet exercice terminé, le scripte relit les idées émises. Vous rassemblez celles qui sont semblables et vous dressez un tableau synthèse facilement lisible par chaque membre de l'équipe. Vous procédez ensuite à l'évaluation des différentes idées émises. Les critères suivants vous aideront à évaluer les idées:

Pertinence
–   Cette idée répond-elle aux objectifs du travail?

Faisabilité
–   Cette idée est-elle réalisable dans le temps alloué?

–   Les ressources nécessaires (financement, matériel, compétences techniques, etc.) pour la réalisation de cette idée sont-elles disponibles?

Intérêt suscité
–   Cette idée suscite-t-elle un intérêt suffisant chez tous les membres de l'équipe?

Originalité
–   Cette idée reflète-t-elle votre personnalité, vos goûts?

Ces critères sont présentés par ordre de priorité. Ainsi, il est primordial que la pertinence et la faisabilité soient respectées. Toutefois, une idée peut être retenue même si les degrés d'intérêt et d'originalité sont de moindre importance.

Différentes idées seront donc éliminées rapidement alors que d'autres susciteront un débat. À cette étape, vous devrez manifester vos talents de négociation et votre pouvoir d'influence.

À retenir...

- N'évaluez pas les idées pendant le remue-méninges, attendez plutôt à la fin.

- Utilisez les techniques du piratage et du comédien pour favoriser l'émergence d'idées empreintes de créativité.

- Choisissez l'idée qui correspond le plus aux critères suivants : pertinence, faisabilité, intérêt suscité et originalité.

4. La deuxième rencontre

4.1   Définir un échéancier

L'échéancier est un outil qui offre une vue d'ensemble des tâches et des activités à réaliser pendant une période définie. Il comporte plusieurs avantages :

- Il permet de réaliser vos objectifs à l'intérieur d'une période de temps déterminée.

- Il permet d'éviter les pertes de temps liées à une mauvaise organisation.

- Il permet de ne pas succomber au stress à la dernière minute.

Vous devez réaliser deux types d'échéancier: l'échéancier collectif et l'échéancier individuel. Ces deux échéanciers couvrent l'ensemble des tâches à accomplir à l'intérieur d'une période donnée. L'échéancier collectif contient les tâches de tous les membres de l'équipe alors que l'échéancier individuel présente l'ensemble des tâches pour un seul individu. Tous les membres de l'équipe suivent donc le même échéancier collectif, mais chacun possède un échéancier individuel différent.

L'échéancier collectif

Les étapes suivantes vous permettront de définir un échéancier collectif.

– Commencez par faire une liste des différentes tâches à réaliser pour chaque étape du travail. Soyez le plus spécifique possible. Une tâche peut souvent être décomposée en une multitude de petites tâches. Mieux vaut une description trop détaillée qu'une description trop générale. En effet, si vous effectuez une description trop générale, vous manquerez de temps en cours de route puisque vous aurez oublié certaines tâches. Par contre, si votre description est très détaillée, vous constaterez peut-être avec surprise que vous avez surestimé le temps requis pour abattre le travail!

– Discutez avec des personnes-ressources pour éviter d'oublier des tâches importantes.

– Ordonnez ensuite ces tâches selon un ordre chronologique, c'est-à-dire déterminez quelles tâches doivent être réalisées dans un premier temps, dans un second temps, etc.

- Fixez une date d'échéance pour chaque tâche. Assurez-vous que toutes les tâches soient terminées une semaine avant la date de remise du travail.

- Déterminez le temps requis pour réaliser chaque tâche.

- Prévoyez des moments de flexibilité pour les imprévus et la fatigue.

- Distribuez les tâches entre les différents membres de l'équipe, en tenant compte autant que possible des ressources et des capacités de chacun. Par exemple, demandez à celui qui possède un ordinateur de trouver des renseignements sur Internet, à celle qui habite tout près d'une bibliothèque de trouver les livres de référence, à celui qui est disponible d'effectuer l'entrevue avec une personne seulement libre le soir, etc.

- Déterminez des rencontres hebdomadaires pour assurer un suivi du travail de chaque membre et répondre aux interrogations qui peuvent survenir en cours de route. Ces rendez-vous sont essentiels pour favoriser un bon déroulement au sein de l'équipe. Si un problème survient dans la réalisation d'une tâche, TOUS les membres de l'équipe sont concernés !

- Assurez-vous que tous les membres de l'équipe possèdent une copie de l'échéancier collectif.

Le modèle à la page suivante vous guidera dans la réalisation d'un échéancier collectif.

Échéancier collectif

RENCONTRE 1   Date : _____

Personne responsable : _____
Tâche(s) : _____

Personne responsable : _____
Tâche(s) : _____

Personne responsable : _____
Tâche(s) : _____

Personne responsable : _____
Tâche(s) : _____

RENCONTRE 2   Date : _____

Personne responsable : _____
Tâche(s) : _____

Personne responsable : _____
Tâche(s) : _____

Personne responsable : _____
Tâche(s) : _____

Personne responsable : _____
Tâche(s) : _____

Échéancier collectif

RENCONTRE 3   Date : _____

Personne responsable : _____

Tâche(s) : _____

Personne responsable : _____

Tâche(s) : _____

Personne responsable : _____

Tâche(s) : _____

Personne responsable : _____

Tâche(s) : _____

RENCONTRE 4   Date : _____

Personne responsable : _____

Tâche(s) : _____

Personne responsable : _____

Tâche(s) : _____

Personne responsable : _____

Tâche(s) : _____

Personne responsable : _____

Tâche(s) : _____

Échéancier collectif

RENCONTRE 5   Date : _____

Personne responsable : _____

Tâche(s) : _____

Personne responsable : _____

Tâche(s) : _____

Personne responsable : _____

Tâche(s) : _____

Personne responsable : _____

Tâche(s) : _____

RENCONTRE 6   Date : _____

Personne responsable : _____

Tâche(s) : _____

Personne responsable : _____

Tâche(s) : _____

Personne responsable : _____

Tâche(s) : _____

Personne responsable : _____

Tâche(s) : _____

Il ne reste plus qu'à respecter cet échéancier. La volonté, la discipline et les efforts sont garants du succès! Mais, pour qu'un échéancier collectif soit respecté, chaque membre de l'équipe doit cependant être responsable de son échéancier individuel...

L'échéancier individuel

Une fois l'échéancier collectif réalisé, chaque membre doit déterminer son échéancier individuel. Il inscrit les dates des rencontres d'équipe et les tâches qui lui sont assignées à l'intérieur des délais déterminés. Une même tâche peut être partagée par plusieurs membres. C'est le cas, par exemple, pour la réalisation d'un film. Une personne peut être en charge du scénario, une autre du découpage technique, une autre de la direction photo, une autre de la direction artistique et une autre du montage vidéo et sonore. Cependant, tous les membres de l'équipe devraient être consultés lors de la réalisation de chacune de ces étapes afin que le film produit soit vraiment le reflet de la vision de tous. Dans ce cas particulier, le coordonnateur-réalisateur s'assure de la cohérence du traitement à chacune des étapes. De plus, comme ces étapes se succèdent dans le temps, les membres dont la tâche principale a déjà été exécutée demeurent actifs dans le processus jusqu'à la fin en fournissant soutien et conseils aux autres membres de l'équipe. Dans le même ordre d'idées, les membres qui sont responsables de la post-production n'entrent pas en jeu seulement à la fin de la session. Ils sont impliqués dès le départ et fournissent soutien et conseils aux autres membres de l'équipe.

Les tâches de l'échéancier individuel correspondent donc à certaines tâches de l'échéancier collectif.

Une fois qu'une tâche vous est assignée, il est souvent préférable de la décomposer en sous-tâches. Par exemple, avant de rencontrer une personne pour une entrevue, vous devez : lui téléphoner, préparer les questions, vous documenter, réserver une enregistreuse, etc. Il est possible que des activités liées à votre tâche n'aient pas été spécifiées dans l'échéancier collectif (même si cela n'est pas souhaitable). Or, puisque vous êtes responsable de cette tâche, c'est à vous que revient la planification de sa réalisation. L'échéancier individuel vous sera alors utile afin que vous arriviez à respecter les délais et à présenter des réalisations concrètes aux autres membres de l'équipe lors de votre prochaine rencontre de groupe.

Un exemple d'échéancier individuel est présenté à la page suivante.

La gestion du temps est une habileté indispensable lorsqu'il s'agit de respecter un échéancier. Comment arrive-t-on à bien gérer son temps ? Voici quelques trucs infaillibles pour y parvenir :

– Chaque matin, faites une liste des tâches à réaliser dans la journée et cochez-les au fur et à mesure que vous les accomplissez.

– La perfection n'existe pas. Il faut savoir s'arrêter.

– Pour pouvoir terminer, il faut d'abord commencer. Là, maintenant !

– Faites des choix... Vous ne pouvez pas travailler, étudier, vous amuser à temps plein, etc.

– Ne remettez jamais à demain ce qui est prévu pour aujourd'hui.

Échéancier individuel

SEMAINE 1   Date de la rencontre: _____

Tâche(s): _____

_____

_____

Notes pour la rencontre: _____

_____

SEMAINE 2   Date de la rencontre: _____

Tâche(s): _____

_____

_____

Notes pour la rencontre: _____

_____

SEMAINE 3   Date de la rencontre: _____

Tâche(s): _____

_____

_____

Notes pour la rencontre: _____

_____

Échéancier individuel

SEMAINE 4   Date de la rencontre : _____

Tâche(s) : _____

_____

_____

Notes pour la rencontre : _____

_____

SEMAINE 5   Date de la rencontre : _____

Tâche(s) : _____

_____

_____

Notes pour la rencontre : _____

_____

SEMAINE 6   Date de la rencontre : _____

Tâche(s) : _____

_____

_____

Notes pour la rencontre : _____

_____

– Faites des pauses régulièrement.

– Évitez les activités qui vous font perdre du temps inutilement (appels téléphoniques et rencontres avec certaines personnes, télévision, musique, jeux d'ordinateur et recherches futiles sur Internet, etc.).

– Apprenez à utiliser chaque instant qui s'offre à vous. Faites de la lecture dans les transports en commun, planifiez mentalement vos démarches pendant les moments d'attente (files au guichet automatique ou à l'arrêt d'autobus), effectuez des téléphones sur l'heure du dîner, etc.

Illustration : Stéphane Elie

4.2   S'ENGAGER PAR UN CONTRAT CLAIREMENT DÉFINI

Pour tirer du plaisir à travailler en équipe, certaines règles doivent être respectées. La meilleure façon de s'assurer que tous les membres de l'équipe soient vraiment conscients des règles est de s'entendre au préalable sur un contrat et de le signer. Ainsi, une personne ne pourra pas justifier son manque de coopération par la non-connaissance des règles. De plus, le fait de poser un geste concret (comme signer un contrat) favorise souvent une plus grande implication de la part des équipiers.

Un exemple de contrat est présenté à la page suivante.

Sur le contrat, il est important de retrouver les éléments suivants :

– la date;

– les noms des membres;

– les règles à respecter;

– les pénalités encourues si les règles ne sont pas respectées;

– les signatures de tous les membres;

– la signature du professeur.

Au besoin, il est possible de réviser le contrat et d'apporter des modifications aux règles et aux pénalités. Un nouveau contrat (avec de nouvelles signatures) doit alors être rempli.

Contrat

Nous avons convenu que:

- Tous les équipiers s'engagent à être solidaires au travail de chacun.
- Tous les équipiers s'engagent à participer aux prises de décisions.
- Tous les équipiers s'engagent à être présents aux réunions.
- Tous les équipiers s'engagent à être ponctuels.
- Le produit final sera une production collective. Chaque équipier s'engage à approuver les différentes parties du travail et à les améliorer, s'il y a lieu, par son apport personnel.
- Autre : _____
- Autre : _____
- Autre : _____
- Afin de favoriser le bon fonctionnement de l'équipe, la personne qui ne respectera pas les règles encourra la sanction suivante (par exemple : -10% sur la note finale; payer la pizza à tout le monde, etc.) :

  _____

Date : _____

Nom : _____ Signature : _____

Nom : _____ Signature : _____

Nom : _____ Signature : _____

Nom : _____ Signature : _____

Nom : _____ Signature : _____

Signature du professeur : _____

4.3   SE RÉPARTIR LES TÂCHES

Lors d'une réunion d'équipe, les différentes tâches à réaliser d'ici la prochaine rencontre doivent être attribuées. Idéalement, la répartition des tâches respecte les conditions suivantes :

–   Elle doit être spécifique. Chaque personne sait exactement ce qu'elle doit accomplir.

–   Elle doit être sous forme écrite. Tous les membres de l'équipe prennent en note le nom des personnes responsables pour chacune des tâches. Ainsi, vous saurez qui contacter si vous avez besoin d'une information spécifique liée à la tâche d'un coéquipier.

–   Elle doit être réaliste. Les tâches attribuées ne doivent pas être trop nombreuses ou trop difficiles à réaliser. À trop vouloir en faire, vous finirez par vous décourager et ne rien faire du tout ! La dispersion est souvent liée à une surcharge de tâches. Parallèlement, assurez-vous de distribuer suffisamment de tâches de manière à pouvoir respecter votre échéancier !

–   Elle doit être équitable. La répartition des tâches doit tenir compte des intérêts, des forces et des disponibilités de chacun. Il est presque impossible de distribuer les tâches de sorte que chaque coéquipier puisse consacrer exactement le même nombre d'heures au travail. Ainsi, même s'il est souhaitable que les tâches soient équitables, il faut tout de même faire preuve d'ouverture et de générosité.

4.4 Définir les aspects techniques

Lors de la deuxième rencontre, vous devez notamment prendre la peine de préciser certains aspects techniques liés au travail. En s'assurant que le matériel utilisé est compatible, par exemple, on s'épargnera plusieurs heures de travail et de soucis! Par exemple, si un membre de l'équipe fait une entrevue à l'aide d'une minienregistreuse, il doit s'assurer au préalable que le coéquipier chargé de retranscrire l'interview a le bon appareil ou qu'il pourra emprunter le sien, etc. Ainsi, il peut également être bon de préciser le logiciel, la mise en page ou le formatage du matériel informatisé. On peut déterminer à l'avance le type de tableaux ou d'images qui figureront dans le travail afin qu'il n'ait pas l'air hétéroclite, etc.

Le scripte est quelquefois désigné pour uniformiser le matériel. Le scripte n'a toutefois pas la responsabilité de rédiger ou de saisir l'ensemble du travail! À cet effet, l'échange de courriels peut faciliter la mise en commun du matériel.

Illustration: Stéphane Elie

À retenir...

- Les coéquipiers définissent un échéancier qui précise toutes les tâches à réaliser.

- Les tâches doivent être réparties équitablement entre les membres puis consignées soigneusement dans le compte-rendu de la rencontre.

- Chaque membre écrit précisément les tâches qu'il doit réaliser.

- Chaque membre s'engage par contrat.

- Les aspects techniques sont abordés.

5. LES RENCONTRES ULTÉRIEURES

À partir du troisième rendez-vous, la routine commence à s'installer... L'équipe est formée, le contrat est signé, les attentes sont claires, le sujet est bien défini et l'échéance semble réaliste puisqu'un partage des tâches a déjà eu lieu. À quoi serviront donc les prochaines rencontres? Quatre tâches doivent être effectuées à chacune des rencontres subséquentes:

5.1   FAIRE LE BILAN DES TÂCHES EFFECTUÉES PAR CHAQUE MEMBRE DE L'ÉQUIPE

En faisant un tour de table, chacun présente ce qu'il a accompli. Lorsqu'une portion de texte a été rédigée, il est préférable que chaque membre de

Illustration : Stéphane Elie

l'équipe en reçoive une copie afin que tous puissent en faire la lecture en même temps et, au besoin, effectuer des corrections. Si une tâche n'a pas été réalisée à la satisfaction de l'équipe, il faudra peut-être exiger de l'équipier qu'il « fasse ses devoirs ». Si cet équipier n'a pas consenti les efforts nécessaires, il faut s'assurer que cela ne se reproduira plus et « prendre le taureau par les cornes » rapidement. Si la personne semble avoir atteint ses limites, il ne faut pas hésiter à procéder à une nouvelle réparti-tion des tâches qui tiendra compte des capacités de chacun. Évidemment, il s'agit d'une question de jugement. Tous n'ont pas les mêmes capacités, mais tous doivent fournir un effort équivalent. Il est pri-mordial de procéder à une évaluation des causes si un problème avec un équipier survient dès le pre-mier bilan des tâches accomplies.

5.2   PARTAGER LES NOUVELLES INFORMATIONS

Certains membres de l'équipe auront peut-être découvert de nouvelles informations concernant le sujet. Quelqu'un a vu un film ou un documentaire, un autre a rencontré une personne qui pose un regard neuf sur le sujet ? C'est le moment de présenter ces informations et d'en discuter. Peut-être faudra-t-il réajuster la répartition des tâches et l'échéancier à la lumière de ces nouvelles données.

5.3   PLANIFIER LES TÂCHES JUSQU'À LA PROCHAINE RENCONTRE

À la suite du bilan de ce qui a été réalisé et du partage des nouvelles informations, il faut procéder à la répartition des tâches à faire avant la prochaine rencontre. L'échéancier sert de référence. Il peut être réajusté au besoin.

5.4   ÉVALUER LE FONCTIONNEMENT ET LA PARTICIPATION

Une partie de l'évaluation est effectuée implicitement au début de la rencontre lorsque les membres font le bilan des tâches accomplies. Normalement, il est souhaitable que tous les membres de l'équipe soient présents lors de l'évaluation. Toutefois, il ne faut pas hésiter à procéder à l'évaluation d'un membre absent si les motifs de son absence sont inconnus ou injustifiés. Une évaluation du fonctionnement de l'équipe peut être faite à la fin de chaque rencontre ou simplement lorsque le besoin s'en fait sentir. On suggère cependant de remplir la fiche lors de la troisième rencontre, au milieu et à la fin du travail.

Vous pouvez le faire de façon formelle en utilisant le modèle de fiche de participation (voir à la p. 60). Chaque critère de participation est évalué sur 10. On fait ensuite la moyenne en additionnant toutes les notes et en divisant par le nombre de critères. Le professeur pourra éventuellement utiliser les résultats de la fiche de participation pour moduler les notes de chaque membre de l'équipe. Cette façon plus formelle de procéder est nécessaire lorsque votre équipe rencontre des difficultés. Vous pouvez aussi le faire de façon informelle en vous inspirant de cette grille mais en n'accordant pas une note à chaque critère. Une discussion informelle est habituellement suffisante lorsque tout va relativement bien.

Les critères de la fiche de participation

- Présence aux réunions de l'équipe

La présence physique des personnes est nécessaire à chaque réunion et constitue un critère de base à la collaboration. Ne sous-estimez pas ce critère, particulièrement lorsque vous commencez le travail. Une personne qui s'absente dès le départ ne laisse présager rien de bon. Ce critère peut être évalué objectivement. Par exemple, à la troisième rencontre, si une personne a toujours été présente, elle aura comme évaluation «présence très satisfaisante» (8, 9 ou 10). Or, une seule absence correspond à une «présence peu satisfaisante» (3, 4 ou 5). Un retard correspond à une présence satisfaisante (6 ou 7). Finalement, si une personne n'a jamais été présente ou qu'elle a toujours été en retard, demandez à rencontrer le professeur car il s'agit d'une «présence insatisfaisante» (0, 1 ou 2). Il est alors possible de dissoudre l'équipe.

Mise en situation

Pendant la troisième rencontre, Marc et Nadège ont discuté de nombreux aspects du travail tandis que G2 griffonnait dans son agenda et semblait distrait.

Marc: Je pense que ce serait bon qu'on remplisse la fiche de participation.

G2: Pourquoi, c'est pas un peu quétaine?

Marc: C'est pas mauvais de faire le point de temps en temps, juste pour être certain qu'il n'y a pas de personnes frustrées du travail des autres.

G2: Quoi? As-tu quelque chose sur le cœur?

Marc: Écoute G2, si je regarde la fiche de participation, je trouve que tu ne t'impliques pas assez. Comme ils disent dans la grille, «t'es pas assez engagé» et, en plus, il me semble que tu cherches toujours à en faire le moins possible. T'es là aux rencontres, mais tu n'en fais pas assez. C'est ça que je voulais te dire.

Nadège: Moi aussi, G2, je trouve que Marc a raison. Mais je pense qu'on devrait procéder systématiquement en remplissant la fiche de participation. Comme ça, on va pouvoir échanger là-dessus. Moi, par exemple, je me demande si je suis assez ouverte à vos idées. En tout cas, j'espère que vous allez me le dire s'il y a quelque chose que je fais qui vous dérange.

G2: D'accord. Remplissons la fiche, j'ai des choses à dire moi aussi.

- Réalisation des tâches (quantité)

Votre travail de collaboration est axé sur les tâches à accomplir, son succès dépend donc de la réalisation de l'ensemble des tâches effectuées par chaque membre de l'équipe. Comme les tâches à faire ont été consignées dans les comptes rendus, vous pouvez vous y référer pour faire l'évaluation. Si certaines tâches n'ont pas été réalisées, tenez compte de l'importance de ces tâches en remplissant l'évaluation.

- Réalisation des tâches (qualité)

Évidemment, non seulement est-il important de réaliser la tâche, encore faut-il qu'elle soit bien faite. Selon le cas, vous pouvez tenir compte de la rigueur du travail, de son élaboration, de la créativité manifestée. Ce critère de l'évaluation est subjectif, c'est-à-dire que chacun aura sa propre opinion sur le sujet. Cependant, une discussion entre les équipiers sur la qualité du travail de chacun devrait permettre d'arriver à un consensus.

- Ouverture aux autres

L'ouverture est véritablement un critère essentiel du travail en collaboration. Son évaluation est elle aussi subjective, mais la discussion en équipe devrait permettre de poser un regard assez juste sur l'ouverture de chacun. Être attentif aux autres, accepter de remettre en question ses perceptions ou ses opinions, favoriser les compromis, chercher les solutions constructives pour tous, agir avec respect, voilà ce qui caractérise l'ouverture aux autres.

- Engagement

Un travail de collaboration nécessite l'apport de tous les membres de l'équipe. Chacun doit donc y mettre du sien, selon ses capacités. Encore une fois, les différences individuelles peuvent être importantes au sein d'une équipe. Tous n'apporteront pas la même quantité d'idées. L'évaluation du critère comportera donc une dose de subjectivité. En fait, on évalue aussi l'esprit d'initiative dans ce contexte. Un équipier moins volubile dans les réunions qui fait cependant preuve d'initiative dans la réalisation de ses tâches peut ainsi obtenir une très bonne évaluation.

Fiche de participation

Date : _____

Nom : _____

Nombre de rencontres (incluant celle-ci) ayant eu lieu depuis la dernière évaluation : _____

/10	Présence aux rencontres
/10	Réalisation des tâches (quantité)
/10	Réalisation des tâches (qualité)
/10	Ouverture aux autres
/10	Engagement

Commentaires : _____

_____

Correctifs à apporter : _____

_____

Comment remplir la grille

– Chaque équipier remplit la grille individuellement pour lui-même (autoévaluation).

– Les coéquipiers entament ensuite une discussion d'équipe où l'on évalue la participation de chaque membre.

– Le scripte dispose d'une fiche d'évaluation vierge pour chacun des membres et il y inscrit un résultat pour chaque critère. Les résultats inscrits sont ceux obtenus par consensus à la suite d'une discussion. Cependant, devant une impasse, c'est le résultat que la majorité croit le plus juste qui est inscrit.

– Si l'évaluation présente des faiblesses, il est important de discuter des correctifs à apporter et de les inscrire sur la fiche.

À retenir...

• Faites le bilan des tâches qui ont été réalisées et évaluez-les.

• Planifiez les tâches à faire jusqu'au prochain rendez-vous.

• Évaluez le fonctionnement de l'équipe et la participation des membres de façon formelle ou informelle.

6. MISE EN COMMUN FINALE AVANT LA REMISE

La version définitive d'un travail prend forme seulement lorsque chaque membre a vu et approuvé les différentes parties d'un travail. La mise en commun est donc plus qu'un simple collage des parties individuelles. Il s'agit d'une production collective. Chacun est responsable d'améliorer l'ensemble du travail, pas seulement sa partie.

Mise en situation

Le jour précédant la date de remise, Marc et Nadège sont à l'heure au rendez-vous.

Nadège: J'espère que G2 n'a pas oublié le rendez-vous.

Marc: Le voilà qui arrive. Ouf! En retard, mais il y est!

G2: Quelle perte de temps. On aurait pu mettre nos parties ensemble demain juste avant le cours. De toute façon, je n'ai pas ma partie. L'imprimante au collège ne fonctionnait pas.

Nadège: Voilà justement pourquoi on se voit aujourd'hui: pour éviter les problèmes de dernière minute. On peut toujours aller imprimer ta partie chez moi. Comme ça, on pourra relire le travail une dernière fois et y apporter des corrections si nécessaire.

Marc: On pourrait aussi célébrer ça avec une bonne pizza, qu'en pensez-vous?

G2: Finalement, c'est pas une mauvaise idée de se voir la veille de la remise officielle!

La date de tombée ne doit donc pas correspondre à la date de remise du travail. En effet, un travail réalisé en collaboration exige toujours des ajustements afin d'en assurer l'homogénéité.

Lors de la rencontre pour la mise en commun finale, chacun se présente avec les parties qu'il avait à réaliser. Tous les textes devraient être rédigés au traitement de texte (idéalement, à partir de la même version du même logiciel) et chacun devrait détenir un support informatique (CD, disquette) sur lequel le texte est enregistré.

Évidemment, les scénarios peuvent varier d'une équipe à l'autre en fonction du type de travail à réaliser. Certaines parties du travail final peuvent déjà avoir été remises au scripte avant ce rendez-vous. L'important est que chacun puisse lire, visionner ou écouter les différentes composantes du travail. Vous pourrez alors harmoniser les diverses parties afin qu'elles constituent un tout uniforme et cohérent.

Si ce travail d'harmonisation ne peut être réalisé pendant la rencontre, il faut procéder à une dernière répartition des tâches. Si le travail d'harmonisation est majeur, il faut vous rencontrer de nouveau au moins 24 ou 48 heures avant la date de remise. Chacun doit pouvoir approuver la version finale avant la remise du travail. Encore ici, il faut se rappeler que certaines particularités s'appliquent en fonction du type de travail à produire. Dans le cas d'un exposé oral, par exemple, il faut s'assurer d'avoir le temps de faire une pratique générale de la présentation avec tout le matériel requis un ou deux jours avant la présentation en classe. Chacun peut connaître sa partie, mais

Illustration : Stéphane Elie

encore faut-il prévoir les enchaînements afin d'assurer que tout se déroule sans anicroches. Lors de la pratique générale, une personne ne faisant pas partie de l'équipe devrait faire office de spectatrice. Elle sera en mesure de vous faire part de commentaires utiles visant à améliorer votre prestation devant le groupe.

Pour la réalisation d'un film, il ne faut pas sous-estimer le temps requis pour terminer le montage. Il ne suffit généralement pas d'exécuter un seul montage. Vous pourriez avoir à réaliser deux ou trois versions avant d'arriver à un résultat satisfaisant. Cela exige du temps. Il faut aussi toujours prévoir les problèmes techniques qui risquent de survenir à cette étape (en fait, ils sont pratiquement inévitables!).

Enfin, avant de célébrer... n'oubliez pas de remplir la fiche d'évaluation formelle concernant votre participation!

7. La remise du travail

Avant de remettre le travail, les membres de l'équipe ont désigné une personne responsable de cette tâche. Bien qu'il s'agisse habituellement du scripte, un autre membre de l'équipe peut très bien remettre le travail. Cette personne doit être responsable et ponctuelle.

En effet, le moment de la remise d'un travail ne correspond pas au moment où l'on cherche des trombones, une agrafeuse ou encore du ruban correcteur. Le travail a été corrigé et assemblé lors de la rencontre précédente. Cela permet d'éviter tous les problèmes liés à l'informatique ou à la technologie qui ont la fâcheuse habitude de survenir au moment de la remise! De plus, puisqu'une perte ou un accident est toujours possible, chaque membre de l'équipe a pris soin, lors de la rencontre précédente, de se faire une copie du travail.

La personne désignée pour remettre le travail doit être attentive sur les procédures à suivre lors de la remise. Doit-elle signer un document? Remet-elle le travail au bon endroit sur la table du professeur ou dans le bon casier?

Le travail remis, il ne reste plus qu'à célébrer la satisfaction d'un travail bien accompli et le plaisir de la coopération!

Deuxième partie

Quand ça ne va pas!

I. ACCEPTEZ LES DIFFÉRENCES INDIVIDUELLES

Malgré toutes les précautions que vous avez pu prendre dans le choix de vos partenaires de travail, vous aurez à composer avec les personnalités de chacun. L'un parle un peu trop, l'autre a tendance à tout diriger, une autre est lunatique. Même s'il est plus facile de travailler avec des personnes qui vous ressemblent, il est tout de même possible de collaborer avec des individus avec lesquels vous avez moins d'affinités! L'important est de favoriser un climat propice au travail. Pour y arriver, vous devez tenter d'accepter les différences individuelles.

Lorsque le comportement d'un ou de plusieurs partenaires vous dérange ou lorsque le contenu du travail ne vous satisfait pas, affirmez-vous et parlez-en. Si le litige ne concerne qu'une seule personne dans l'équipe, nous vous conseillons d'aller lui en parler directement hors du regard des autres membres du groupe. À la suite de la rencontre, si les résultats s'avèrent insatisfaisants, vous devez en discuter en groupe. Par contre, si le litige touche plusieurs personnes, abordez immédiatement cette difficulté en équipe.

Mise en situation

Nadège : C'est pas évident de travailler en équipe !

G2 : Tu peux le dire… On dirait qu'il faut toujours être sérieux avec vous deux.

Marc : C'est sûr que je suis sérieux, et il faut l'être si on veut avancer. Mais je suis capable de niaiser moi aussi… quand c'est le temps.

G2 : On est pas pareils là-dessus. Moi j'aime ça rigoler un peu tout le temps.

Nadège : C'est vrai qu'on se ressemble pas sur un paquet de trucs. Mais savez-vous quoi les gars ? Je pense que c'est une bonne chose ! Je ne me verrais pas travailler avec des clones de moi-même. Il me semble que je me tomberais sur les nerfs !

G2 : C'est bien la première fois que je t'entends faire une blague !

Nadège : Non non, sans farce, avec vous deux, on réussit à faire du bon travail malgré nos différences.

Marc : Oui, c'est vrai. Dans le fond, on a un point en commun qui est plus important que nos différences, c'est ce fameux travail qu'il faut finir !

Illustration : Stéphane Elie

En tout temps, vous devez :

- aborder la situation calmement;

- éviter de blâmer l'autre;

- expliquer comment la situation ou le comportement vous affecte en utilisant le «je» plutôt que le «tu» (le «tu» est utilisé uniquement pour décrire objectivement le comportement de l'autre);

- Écouter le point de vue de l'autre;

- Utiliser une démarche de résolution de problèmes.

2. LA DÉMARCHE DE RÉSOLUTION DE PROBLÈMES

Il est tout à fait normal de rencontrer des situations problématiques lors d'un travail en collaboration.

L'équipe idéale n'est pas celle qui n'éprouve aucun problème, mais celle qui sait résoudre efficacement ses difficultés. Voici les principales étapes d'une démarche de résolution de problèmes :

2.1   PREMIÈRE ÉTAPE : DÉTERMINER LE PROBLÈME

Indiquez clairement le comportement ou la situation qui vous dérange.

Cette description doit être faite de façon objective, c'est-à-dire que le comportement doit correspondre à ce qui est directement observable par tout le monde. Si vous souhaitez résoudre une difficulté, il est primordial d'éviter les blâmes et les jugements de valeurs. Par exemple, il est préférable de dire : « Tu es arrivé trente minutes après le début de la réunion » plutôt que « Maudit pares-

Illustration : Stéphane Élie

seux! Tu es toujours en retard. Tu ne fais aucun effort!»

Exprimez comment le problème ou la situation vous affecte.

À l'aide d'émotions, partagez subjectivement votre expérience désagréable. Par exemple, si le retard cause chez vous des sentiments de colère ou de frustration, dites: «Tu es arrivé trente minutes après le début de la réunion. Je me sens en colère.» (Ou tout autre vocable qui exprime votre mécontentement!)

Enfin, expliquez pourquoi vous êtes dans cet état.

Par exemple: «Tu es arrivé trente minutes après le début de la réunion. Je me sens en colère. J'ai l'impression que je fais tout le travail à ta place et que tu n'es pas motivé.»

2.2　Deuxième étape: demander le point de vue des autres

Lorsque vous avez clairement déterminé le problème, vérifiez la perception de la personne à qui vous avez exprimé le message. Comprend-elle votre point de vue? Vous pouvez aussi demander aux autres membres de l'équipe, s'il y a lieu, s'ils sont d'accord avec votre constat. Ont-ils un autre point de vue? Tentez de faire le tour de la question en vous assurant que tous expriment leur point de vue. Le calme et le respect sont de mise.

Par exemple: «As-tu aussi cette impression? Que penses-tu de ce que je viens de t'exprimer?»

2.3   TROISIÈME ÉTAPE : REFORMULER LE PROBLÈME

Comment le problème se présente-t-il maintenant ? Y voyez-vous plus clair ? Reformulez le problème à la lumière de la discussion que vous avez eue. Identifiez toutes les facettes de la situation problématique. Par exemple : « Donc, si je comprends bien, tu es motivé, mais tu trouves les tâches que tu dois accomplir exigeantes. De plus, à cause du transport en commun, il est difficile pour toi d'être à l'heure. »

Assurez-vous que tous les membres de l'équipe soient d'accord sur la formulation du problème. Rien ne sert de tenter de trouver des solutions si, au départ, vous ne vous entendez pas sur ce qu'il y a à régler. Encore une fois, il est préférable d'agir en consensus. Cependant, si le problème émane d'une personne de l'équipe et que celle-ci ne l'admet pas, vous pouvez poursuivre votre démarche malgré l'absence d'un consensus. Assurez-vous toutefois d'avoir l'accord des autres membres de l'équipe et soyez conscient que cette personne sera probablement exclue à la suite de la démarche.

2.4   QUATRIÈME ÉTAPE : CHERCHER DES SOLUTIONS

Selon l'ampleur du problème, cette étape peut être plus ou moins longue. Il ne faudrait surtout pas commettre l'erreur d'adopter la première solution proposée. L'idéal pour trouver une solution efficace est d'utiliser la technique du remue-méninges expliquée précédemment. Une fois que vous avez trouvé une ou des solutions potentielles, essayez de déterminer laquelle permet de régler le plus grand nombre d'aspects du problème. Choisissez la meilleure solution et assurez-vous que la majorité des membres de l'équipe acceptent la solution choisie. Il s'agit essentiellement de déterminer quel comportement précis est souhaitable et de trouver quels sont les moyens concrets qui peuvent permettre d'atteindre ce comportement souhaité.

Par exemple: «Essayons de trouver plusieurs solutions. On verra ensuite laquelle on adoptera. Peut-être pourrions nous mettre le rendez-vous trente minutes plus tard? Tu pourrais faire mes tâches et je ferais les tiennes? On pourrait laisser tomber cette entrevue et la remplacer par une entrevue avec une personne qui te rend moins mal à l'aise? On pourrait se rencontrer dans un autre lieu plus près de chez toi?»

«Je crois qu'une rencontre trente minutes plus tard et un changement dans les tâches suffirait. Ça vous convient?»

2.5   Cinquième étape: planifier l'application de la solution

Vous devez maintenant établir concrètement comment vous appliquerez la solution choisie. Prévoyez un calendrier clair, des étapes précises et une façon concrète d'évaluer si vous avez réellement solutionné le problème. Si cette évaluation s'avère négative, il faudra prévoir la recherche d'une nouvelle solution.

Par exemple: «Ainsi, dès la semaine prochaine, nous nous rencontrons à 7h plutôt que 6h30. De plus, je m'occupe de la recherche sur Internet et tu es dorénavant responsable de la recherche en bibliothèque. On en reparle la semaine prochaine pour s'assurer que ces solutions sont efficaces!»

3. DEMANDEZ L'AIDE DU PROFESSEUR

Le professeur a le devoir de faciliter la résolution de problèmes lorsqu'une équipe connaît des difficultés. Pour résoudre un problème d'équipe, tous les membres doivent contribuer aux efforts. Or, si un ou plusieurs des équipiers refusent de collaborer, le professeur doit intervenir pour dénouer l'impasse. Ce dernier ne peut rester passif devant des problèmes qui semblent insolubles pour les équipiers.

Le professeur dispose de moyens variés qui dépendent des orientations pédagogiques qu'il a choisies. Si l'habileté à travailler en équipe fait explicitement partie des objectifs ou des compétences à atteindre dans le cadre du cours, l'incapacité à travailler en coopération chez un ou plusieurs membres de l'équipe peut mener à un échec du cours. Si cette habileté ne fait pas partie des objectifs ou des compétences à atteindre, le professeur pourrait proposer des alternatives au travail d'équipe. Par exemple, il pourrait proposer au membre récalcitrant de réaliser un travail individuel équivalent. Le professeur doit adapter sa solution en fonction de la nature du problème, du moment où il se présente pendant la session et de la responsabilité de chaque membre impliqué dans la situation. Normalement, un professeur encadre rigoureusement le travail effectué par une équipe. Il est donc en mesure de constater assez tôt s'il y a des problèmes et de vous proposer le soutien nécessaire.

4. LES SITUATIONS PROBLÉMATIQUES

Les principaux problèmes rencontrés lors d'un travail d'équipe sont habituellement d'ordre physique, personnel ou organisationnel.

Illustration : Stéphane Elie

4.1 Les situations problématiques d'ordre physique

Les situations problématiques d'ordre physique sont directement liées à l'espace ou au matériel nécessaire pour réaliser vos tâches. Quels sont donc les principaux éléments d'ordre physique dont vous devez tenir compte pour minimiser les difficultés? Assurez-vous d'abord d'avoir un endroit propice au travail, en termes d'espace, de température, de confort et de tranquillité. Par exemple, un espace de travail inadéquat, surchauffé ou comportant trop de distractions (auditives ou visuelles) peut devenir une source de tension et nuire à la production des membres de l'équipe. Heureusement, ce type de difficulté est facile à résoudre. Même si l'environnement parfait n'est pas disponible, tentez de trouver un lieu où vous pourrez vous asseoir, vous entendre, vous voir et bénéficier d'un certain confort.

La disposition du mobilier est aussi un facteur important lors d'une rencontre. L'individu assis à l'écart, par exemple, peut transmettre comme message à ses coéquipiers qu'il est peu intéressé. Parallèlement, il peut se sentir rejeté des autres membres du groupe. Habituellement, les membres d'une équipe doivent tous pouvoir se voir et s'entendre lors d'une rencontre. La disposition circulaire est à privilégier pour atteindre cet objectif.

La disponibilité du matériel peut être un autre élément d'ordre physique à l'origine de différentes difficultés. Des outils tels que les livres, les ressources informatiques, les crayons, etc., sont indispensables à la réalisation d'un travail. Assurez-vous de leur disponibilité lors des rencontres de groupe.

Mise en situation

G2 arrive en retard à la réunion. Il a oublié d'amener les références et le livre dont les autres membres du groupe ont besoin pour terminer le travail. Nadège lui reproche son manque de sérieux.

Nadège: G2, nous sommes très déçus. Nous sommes venus ici pour rien!

G2: C'est pas ma faute, mon boss m'a demandé de faire un shift supplémentaire en fin de semaine à cause que quelqu'un était malade, alors j'ai pas eu le temps.

Marc: Oui, je comprends. Mais tu aurais pu nous appeler pour nous dire que tu étais en retard ou que tu ne pouvais pas trouver les documents. Nous aurions reporté la réunion à une autre fois.

Nadège: Bref, on perdrait pas notre temps. Là, tu vas aller à la bibliothèque tout de suite. On t'attend.

G2: Eye, as-tu fini de faire la boss pis de jouer à la mère? J'ai un boss, pis j'ai aussi une mère... j'en veux pas d'autres!

Marc: OK. Je pense qu'il faut qu'on se parle. Je pense que vous avez tous les deux raison. G2 doit faire attention et respecter l'échéancier ou du moins nous aviser s'il a vraiment un empêchement. Nadège, c'est vrai que des fois tu en mènes large. Tu es peut-être coordonnatrice, mais les décisions doivent se prendre en équipe. C'est pas à toi de nous organiser.

Nadège: Qu'est-ce que tu veux dire?

G2: Ben, quand tu me dis quoi faire, que tu critiques et que tu cherches à tout contrôler, ça m'irrite au plus haut point!

Nadège: Ben, quand t'es pas à ton affaire, je me sens stressée. J'ai l'impression qu'on n'arrivera pas à temps et qu'il faudra que je prenne tout en main.

Marc: Bon, on comprend comment tout le monde se sent. À chacun de s'en tenir à ses tâches et à son rôle.

4.2 LES SITUATIONS PROBLÉMATIQUES D'ORDRE PERSONNEL

Différentes difficultés peuvent provenir directement des caractéristiques individuelles des membres de l'équipe. Ces difficultés constituent souvent des sujets délicats. En effet, il peut s'agir de traits de personnalité, d'attitudes ou de comportements qui sont plus difficiles à modifier. Or, les situations problématiques d'ordre personnel ne doivent pas nuire à la réalisation d'une tâche. Si tel est le cas, des changements s'imposent! Regardons d'abord les principaux types d'individus qui peuvent causer des difficultés.

L'individu passif

L'individu passif est en retrait, silencieux et il participe peu aux discussions. Son air distant et son manque d'implication nuisent au fonctionnement de l'équipe. En effet, les autres membres ne savent pas comment interpréter cette absence de coopération. Est-ce de la timidité, un manque d'intérêt, des difficultés personnelles importantes? Les raisons qui incitent un individu à être passif doivent être élucidées puisque sa passivité entrave le dynamisme de l'équipe et, conséquemment, influence la qualité du travail. De plus, la personne passive devient facilement un parasite qui profite du travail des autres sans fournir d'effort.

En présence d'un individu passif, il faut:

– Chercher ses forces et les mettre en valeur.

– Lui donner de petites tâches précises à faire avec un membre de l'équipe.

– Augmenter progressivement ses responsabilités.

– Refléter fréquemment l'importance de son rôle au sein de l'équipe.

– L'inciter à consulter un autre membre de l'équipe dès qu'un obstacle l'empêche de réaliser ses tâches.

Démarche de résolution de problèmes

☐ Oui ☐ Non   Le problème a été déterminé clairement, sans jugement ni blâme.

☐ Oui ☐ Non   Toutes les personnes impliquées se sont exprimées librement et ont été écoutées.

☐ Oui ☐ Non   Le problème a été reformulé à la lumière des commentaires des membres.

☐ Oui ☐ Non   Le comportement souhaité a été défini de façon objective.

☐ Oui ☐ Non   Des solutions potentielles concrètes ont été proposées.

☐ Oui ☐ Non   La ou les personnes impliquées ont accepté d'appliquer une des solutions.

De plus, vous pouvez reprendre la démarche de résolution de problèmes. Vous pouvez vous référer à l'encadré précédant qui synthétise les principales étapes à suivre de façon chronologique. Pour chacune d'entre elles, cochez « oui » si l'étape a été réalisée de façon satisfaisante et cochez « non » si l'étape a été remplie de façon insatisfaisante. Si vous cochez « oui » pour l'ensemble des questions, vous êtes sur la bonne voie et le problème devrait se résoudre. Dans le cas contraire, vous devrez apprendre à contourner le problème ou consulter votre professeur.

L'individu exclu

L'individu exclu est rejeté d'un ou de plusieurs membres du groupe. Sa présence est ignorée et le ou

Illustration : Stéphane Elie

les membres fonctionnent comme s'il était absent. Plusieurs raisons peuvent expliquer son exclusion. Si la personne s'exclut elle-même, il faut utiliser les mêmes stratégies qu'avec une personne passive. Si la personne est exclue par un ou des membres de l'équipe, les solutions peuvent être appliquées par celui ou ceux qui excluent et les témoins de cette exclusion ou encore par la personne qui est exclue.

Un travail d'équipe doit favoriser l'intégration et la participation de tous les membres. La personne qui exclut ou qui est témoin d'une exclusion doit :

– Tenter d'accepter les différences individuelles.

– Poser un geste bienveillant à l'égard de la personne exclue.

– Observer la personne exclue sous un nouvel angle, c'est-à-dire lui trouver des forces plutôt que des faiblesses.

– Mettre l'accent sur la tâche à abattre plutôt que sur la relation.

La personne exclue doit quant à elle:

- Manifester son désir de collaboration.

- Exprimer ce qu'elle peut apporter à l'équipe.

- Poser un geste bienveillant à l'égard des autres.

- Cibler la personne qui est la moins liée aux membres qui excluent afin de s'en faire un allié.

- Demander à un autre membre de collaborer avec elle.

La démarche de résolution de problèmes peut vous aider à surmonter cette difficulté. Servez-vous de l'encadré suivant pour déterminer si oui ou non vous êtes sur la bonne voie.

Démarche de résolution de problèmes

☐ Oui ☐ Non   Le problème a été déterminé clairement, sans jugement ni blâme.

☐ Oui ☐ Non   Toutes les personnes impliquées se sont exprimées librement et ont été écoutées.

☐ Oui ☐ Non   Le problème a été reformulé à la lumière des commentaires des membres.

☐ Oui ☐ Non   Le comportement souhaité a été défini de façon objective.

☐ Oui ☐ Non   Des solutions potentielles concrètes ont été proposées.

☐ Oui ☐ Non   La ou les personnes impliquées ont accepté d'appliquer une des solutions.

L'individu agressif

L'individu agressif manifeste de l'agressivité de façon verbale ou physique à l'égard d'un ou des membres du groupe ou envers les tâches à réaliser. L'agressivité verbale peut prendre la forme de paroles blessantes ou méprisantes, d'injures, de menaces, etc. L'agressivité physique se manifeste par des gestes violents à l'égard d'objets ou de personnes. Bien que l'agressivité verbale soit souvent perçue comme étant de moindre importance, elle ne doit pas être tolérée.

Parallèlement, certaines personnes utilisent quelquefois une forme d'agressivité déguisée. Il s'agit d'individus «passifs-agressifs». Par leur retrait, leur comportement non verbal, leur silence menaçant, leur ironie ou leur humour noir, ils manifestent une forme d'agression envers les autres. Quoique plus subtile, cette agressivité nécessite aussi une intervention. Bref, l'agressivité au sein d'un groupe est inadmissible, peu importe sa forme.

En présence d'un individu agressif, il faut:

- Éviter de manifester de l'agressivité envers la personne agressive ou les autres membres de l'équipe.

- Ne pas tolérer de manifestations agressives. Cette différence individuelle est inacceptable.

- Aviser immédiatement le professeur qu'il y a un individu agressif sur votre équipe.

- Amorcer immédiatement la démarche de résolution de problèmes en présence du professeur.

La démarche de résolution de problèmes peut vous aider à surmonter cette difficulté. Servez-vous de l'encadré suivant afin de déterminer si oui ou non vous êtes sur la bonne voie. Votre professeur est aussi responsable de suggérer une solution qui vous permettra de vous soustraire à l'agressivité de cette personne. L'exclusion du membre agressif est alors possible.

Démarche de résolution de problèmes

☐ Oui ☐ Non Le problème a été déterminé clairement, sans jugement ni blâme.

☐ Oui ☐ Non Toutes les personnes impliquées se sont exprimées librement et ont été écoutées.

☐ Oui ☐ Non Le problème a été reformulé à la lumière des commentaires des membres.

☐ Oui ☐ Non Le comportement souhaité a été défini de façon objective.

☐ Oui ☐ Non Des solutions potentielles concrètes ont été proposées.

☐ Oui ☐ Non La ou les personnes impliquées ont accepté d'appliquer une des solutions.

L'individu dominateur

L'individu dominateur est écrasant. Il cherche à tout contrôler. Il juge, évalue, critique ou flatte les autres comme s'il occupait une fonction de supériorité. Son manque de souplesse devient rapidement une source de tension au sein de l'équipe. Il est peu attentif aux besoins des autres. Il est convaincu qu'il vaut mieux que les autres et que seuls ses besoins sont justifiés.

En présence d'un individu dominateur, il faut :

– Imposer des limites.

– Exprimer ses besoins.

– Éviter d'attribuer le rôle de coordonnateur à cette personne.

– Demander à cette personne qu'elle se préoccupe uniquement de ses besoins et de ses tâches et non des besoins et des tâches des autres.

La démarche de résolution de problèmes peut vous aider à surmonter cette difficulté. Servez-vous de l'encadré en page suivante afin de déterminer si oui ou non vous êtes sur la bonne voie.

L'individu dépendant

L'individu dépendant est une personne qui manque d'assurance. Il cherche constamment à être rassuré ou à obtenir l'approbation des autres. Il se diminue ou exprime ses incertitudes quant à ses capacités ou quant à la qualité de son travail. Le soutien constant qu'il réclame peut saper l'énergie du groupe. Sa difficulté à s'assumer devient un obstacle pour les autres membres de l'équipe qui doivent l'encadrer, de sorte qu'ils ne sont plus disponibles pour réaliser leurs propres tâches. La personne dépendante n'est souvent pas consciente de son attitude. Puisque sa dépendance l'incite à chercher l'approbation, elle se remet en

Démarche de résolution de problèmes

☐ Oui ☐ Non   Le problème a été déterminé clairement, sans jugement ni blâme.

☐ Oui ☐ Non   Toutes les personnes impliquées se sont exprimées librement et ont été écoutées.

☐ Oui ☐ Non   Le problème a été reformulé à la lumière des commentaires des membres.

☐ Oui ☐ Non   Le comportement souhaité a été défini de façon objective.

☐ Oui ☐ Non   Des solutions potentielles concrètes ont été proposées.

☐ Oui ☐ Non   La ou les personnes impliquées ont accepté d'appliquer une des solutions.

question facilement et accepte les commentaires des autres. Les difficultés sont donc habituellement aisément résolues.

En présence d'un individu dépendant, il faut:

– L'encourager à prendre des initiatives.

– Mettre ses forces en valeur.

– Lui donner de petites tâches précises à faire avec un membre de l'équipe.

– Augmenter graduellement ses responsabilités.

– Refléter fréquemment l'importance de son rôle au sein de l'équipe.

– Le féliciter lorsqu'il accomplit quelque chose de satisfaisant.

– Ne pas s'attendre à ce qu'il devienne parfaitement autonome.

La démarche de résolution de problèmes peut vous aider à surmonter cette difficulté. Servez-vous de l'encadré suivant afin de déterminer si oui ou non vous êtes sur la bonne voie.

Démarche de résolution de problèmes

☐ Oui   ☐ Non   Le problème a été déterminé clairement, sans jugement ni blâme.

☐ Oui   ☐ Non   Toutes les personnes impliquées se sont exprimées librement et ont été écoutées.

☐ Oui   ☐ Non   Le problème a été reformulé à la lumière des commentaires des membres.

☐ Oui   ☐ Non   Le comportement souhaité a été défini de façon objective.

☐ Oui   ☐ Non   Des solutions potentielles concrètes ont été proposées.

☐ Oui   ☐ Non   La ou les personnes impliquées ont accepté d'appliquer une des solutions.

L'individu perturbateur

L'individu perturbateur nuit au bon fonctionnement de l'équipe par son humour impertinent, sa nonchalance, sa procrastination, son manque d'écoute ou tout autre comportement non approprié. Ainsi, il

Illustration : Stéphane Elie

perturbe la qualité des relations entre les membres ou encore la qualité des tâches à réaliser.

Les causes de ce type de comportement sont très diversifiées. Il n'existe donc pas de recette spécifique pour solutionner ce problème. Le professeur doit être avisé et, dans les cas les plus graves, il pourra vous accompagner dans la démarche de résolution de problèmes, qui doit être amorcée rapidement. Puisque vous n'avez pas à assumer la présence d'un individu perturbateur, le professeur pourra vous suggérer des mesures pour gérer la situation. L'exclusion du membre perturbateur est alors possible.

La démarche de résolution de problèmes peut vous aider à surmonter cette difficulté. Servez-vous de l'encadré suivant afin de déterminer si oui ou non vous êtes sur la bonne voie.

Démarche de résolution de problèmes

☐ Oui ☐ Non   Le problème a été déterminé clairement, sans jugement ni blâme.

☐ Oui ☐ Non   Toutes les personnes impliquées se sont exprimées librement et ont été écoutées.

☐ Oui ☐ Non   Le problème a été reformulé à la lumière des commentaires des membres.

☐ Oui ☐ Non   Le comportement souhaité a été défini de façon objective.

☐ Oui ☐ Non   Des solutions potentielles concrètes ont été proposées.

☐ Oui ☐ Non   La ou les personnes impliquées ont accepté d'appliquer une des solutions.

4.3   LES SITUATIONS PROBLÉMATIQUES D'ORDRE ORGANISATIONNEL

Les situations problématiques d'ordre organisationnel ne sont pas liées à des membres en particulier, mais plutôt à des modes de fonctionnement déficients au sein de l'équipe. Voici les principales difficultés rencontrées:

Rencontres insuffisantes

Les rencontres trop espacées dans le temps favorisent une diminution de l'intérêt et un désinvestissement de la part des membres de l'équipe. La réalisation des tâches est remise à plus tard et les gens ne ressentent plus la nécessité d'être productifs. Ils se fient sur les délais espacés entre les rencontres pour venir à bout de leur tâche. Il faut quelquefois sentir une certaine pression liée au temps pour être incité à se mettre au boulot.

Solutions :

– Respecter la fréquence minimale d'une rencontre par semaine.

– Augmenter au besoin la fréquence des rencontres.

Rencontres insatisfaisantes

Les rencontres sont fréquentes, mais peu productives. Vous avez l'impression que le travail n'avance pas.

Solutions :

– Faire une liste des tâches à accomplir.

– Limiter les conversations à votre ordre du jour.

– Respecter un droit de parole.

– Fixer une limite dans le temps aux discussions sur les différents points à l'ordre du jour.

Manque de discipline

Vous constatez qu'une personne ne respecte pas les règles minimales de discipline. Elle arrive en retard, elle parle de tout sauf du travail, elle n'écoute pas, elle s'absente lors de certaines rencontres, etc. Le manque de discipline est souvent associé à la présence d'individus perturbateurs.

Solutions :

- Ramener cette personne à l'ordre en lui reflétant son comportement.

- Déterminer en groupe une façon de récompenser les personnes disciplinées et une façon de pénaliser le manque de discipline.

Absence de potentiel

Il est possible que certains membres de l'équipe ne possèdent pas le potentiel requis pour réaliser des tâches qui leur ont été assignées. Les membres plus compétents peuvent alors se sentir lésés face à la qualité du travail final.

Solutions :

- Faire preuve d'altruisme.

- Choisir des membres qui ont un potentiel similaire au vôtre.

- Évaluer le travail de façon formelle et répartir les gains (les points) selon la qualité et la quantité des tâches réalisées.

Tâches non réalisées ou insatisfaisantes

Une personne n'a pas accompli les tâches qu'elle devait réaliser. Il se peut que cette personne ait une raison valable, mais elle aurait tout de même dû trouver une solution. Une tâche est une responsabilité, et on accorde généralement un délai raisonnable afin qu'elle soit effectuée dans les temps.

Solutions :

- Manifester votre déception envers la personne concernée et son manque de responsabilité.

Illustration : Stéphane Elie

- Déterminer les motifs qui justifient la non-réalisation des tâches ou la réalisation insatisfaisante.

- Répartir les tâches différemment.

- Tenir compte de cet aspect dans l'évaluation de la participation.

- Pénaliser la personne lors de l'évaluation finale en lui attribuant une note inférieure.

Les absences

Une absence lors d'une rencontre porte préjudice à l'équipe. L'échéancier est souvent remis en question. Les membres présents se sentent frustrés et cela peut avoir un impact sur le climat de travail. Un équipier ne devrait s'absenter que pour des motifs exceptionnels et il devrait prévenir au moins un membre de l'équipe de son absence. Dès qu'une personne s'absente pour une deuxième fois, le professeur devrait être avisé afin qu'il puisse l'encadrer de façon plus rigoureuse.

Solutions:

– Prévoir une pénalité au contrat.

– Exclure la personne si elle s'absente souvent.

Les travaux perdus ou effacés

Il s'agit du plus grave problème organisationnel qui puisse survenir. Il n'y a pas de solution miracle... Si votre travail a été perdu ou effacé, la seule solution c'est de recommencer! Il faut donc agir de façon préventive. Tout ce qui est enregistré sur un support informatique (ordinateur, CD, disquette, etc.) devrait l'être aussi sur une copie de sauvegarde. Il faut toujours présumer que la version sur laquelle vous travaillez va être effacée. Soyez paranoïaque! Faites donc des copies fréquentes du travail en progression et ce, jusqu'à la version finale. Deux membres de l'équipe devraient toujours posséder une copie du travail en cours. Ainsi, vous éviterez les mauvaises surprises. En fait, la même précaution s'applique aussi à tout le matériel, numérique ou non, qui doit être remis en guise de travail final. Une copie du travail peut être perdue ou effacée, mais il faudrait vraiment être malchanceux pour que les deux copies le soient. De mémoire de prof, ce n'est jamais arrivé! De plus, lors de la dernière rencontre avant la remise, tous les membres de l'équipe devraient obtenir une copie du travail.

Conclusion

La capacité à travailler en coopération deviendra un outil précieux pour les différentes sphères de votre vie. Qu'il s'agisse de votre vie professionnelle, amoureuse ou familiale, vous aurez à coopérer avec d'autres individus.

En respectant les différentes étapes du travail en équipe et en vous référant aux différents outils vous permettant de résoudre les difficultés, vous devriez progressivement être en mesure de découvrir les nombreux avantages liés à un travail de coopération.

Le tableau à la page suivante synthétise les éléments contenus dans le guide. Vous pouvez vous y référer pour vous assurer que le travail progresse bien. Si vous répondez «non» à une question, vous pouvez prévoir que vous vous buterez à des obstacles ou que des problèmes surviendront si vous n'y remédiez pas. Tentez donc d'éviter les pièges et de résoudre les problèmes au fur et à mesure qu'ils se présentent.

Les clés de la coopération

Tâches réalisées	Oui	Non
Les membres de l'équipe ont des intérêts et un niveau de motivation semblables face au cours et au travail à réaliser.	☐	☐
Lors de la première rencontre :		
• Vous avez échangé vos coordonnées.	☐	☐
• Vous avez déterminé un moment où vous rencontrer à chaque semaine.	☐	☐
• Vous avez choisi un lieu de rencontre propice au travail.	☐	☐
• Vous avez choisi un coordonnateur efficace qui favorise les consensus.	☐	☐
• Vous avez choisi un scripte méticuleux et organisé.	☐	☐
• Vous avez bien compris la nature du travail que vous aurez à réaliser.	☐	☐
• Vous avez effectué un remue-méninges avant de choisir votre sujet (si celui-ci n'était pas imposé).	☐	☐
• Tous les membres de l'équipe se sont ralliés au sujet choisi.	☐	☐

Tâches réalisées	Oui	Non
Lors de la deuxième rencontre :		
• Vous avez défini un échéancier collectif.	☐	☐
• Les tâches ont été partagées équitablement entre tous les équipiers.	☐	☐
• Chacun s'est engagé à suivre son échéancier individuel en fonction de l'échéancier collectif.	☐	☐
• Vous avez élaboré et signé un contrat de coopération.	☐	☐
Lors des rencontres subséquentes :		
• Vous avez évalué les tâches réalisées par chaque équipier.	☐	☐
• Les nouvelles informations ont été partagées.	☐	☐
• Vous avez planifié les tâches à effectuer d'ici la prochaine rencontre.	☐	☐
• Vous avez évalué le fonctionnement de l'équipe à la fin de la rencontre.	☐	☐
• Si un problème a été soulevé, des moyens ont été mis en œuvre pour le régler.	☐	☐

Tâches réalisées	Oui	Non
Lors de la mise en commun finale :		
• Le moment de la rencontre a été fixé quelques jours avant la remise du travail final.	☐	☐
• Tous ont les différentes parties du travail en mains et peuvent prendre connaissance de l'ensemble du travail qui sera remis.	☐	☐
• Les tâches liées à l'harmonisation ou la modification de différentes parties du travail ont été réparties clairement et équitablement.	☐	☐
• La version finale du travail a été approuvée par tous les équipiers.	☐	☐
• L'évaluation finale de la participation a été effectuée formellement.	☐	☐